parrot

popcorn

package

pizza

p

picture

pencil

pirate

I **p**aint a **p**icture.

I write with the pencil.

I dress up as a **p**irate.

I go to the **p**arty.

I eat **p**opcorn
and **p**izza.

What's in the **p**ackage?
A **p**arrot in a cage!

One **p**otato, two **p**otato, three **p**otato, four . . . five **p**otato, six **p**otato, seven **p**otato, more.